D1395342

Tu sais, Dieu…

Pour les enfants qui veulent parler à Dieu.

Tu sais, Dieu…

Compilé par Su Box

Illustrations de Leon Baxter
Traduit de l'anglais par Sophie Smith

cerf jeunesse

EXCELSIS

NOVALIS

Loi n° 49-956 du 16 juillet 1949
sur les publications destinées à la jeunesse

Achevé d´imprimer en juillet 1998
Dépôt légal : août 1998

Remerciements
Un grand merci à tous les enfants, parents
et enseignants qui ont aidé à la réalisation de ce livre.

Table des matières

Introduction

Le but de ce livre est d'aider les jeunes enfants à faire leurs premiers pas dans la prière, pour que leur dialogue quotidien avec Dieu devienne naturel. Ces prières simples et amusantes sont des points de départ pour dire merci et rendre grâces à Dieu, lui dire pardon ou demander son aide.

Les prières ont été choisies pour montrer que Dieu est présent dans chaque aspect de la vie d'un enfant, et qu'ils peuvent prier quand ils le veulent et où ils le veulent. Beaucoup de ces prières ont été créées par les enfants eux-mêmes, et montrent que l'on n'a pas besoin de mots spéciaux pour parler à Dieu. En réalité, parler à Dieu peut être exactement comme parler à un parent que l'on aime ou à son meilleur ami.

Ce livre suit le schéma classique d'une journée d'enfant. Vous pourrez ainsi trouver des prières pour la plupart des humeurs et des occasions. (Un index des sujets donne des directions supplémentaires pour les prières avec des thèmes particuliers.)

Vous pouvez demander à votre enfant de fermer les yeux et de joindre les mains pendant que vous lisez. Il préférera peut-être regarder les dessins qui donnent encore plus de signification à chaque prière. Vous trouverez parfois des suggestions sur la manière dont votre enfant pourra personnaliser sa prière (en disant le nom d'un ami, ou en parlant d'un moment particulier), les autres prières ne se prêtant qu'à de simples actions. Enfin, encouragez votre enfant à se joindre à vous pour dire « Amen » à la fin de la prière. Il aura bientôt ses prières préférées qu'il voudra revoir encore et encore. Mais surtout, ce livre aidera l'enfant à avoir confiance dans le partage de ses pensées et de ses sentiments avec Dieu, et il fera très vite ses propres prières.

Ce sera peut-être le premier pas vers une amitié sans fin.

Le matin

Je me réveille

Mon Dieu,
il est à toi ce matin.
Je suis ton enfant,
montre-moi le chemin.
Amen.

Merci pour chaque matin.
Je me réveille et tout est nouveau.
Merci parce que j'ai une famille,
des amis, des jeux... c'est vraiment rigolo !
Amen.

Tu m'ouvres les yeux, mon Dieu.
Grâce à toi je suis en vie.
Aide-moi à vivre cette journée
comme tu en as envie.

(Prière d'un enfant.)

Merci pour ce matin plein de soleil.
Je suis si content !
Amen.

Moi

Seigneur, tu sais tout sur moi.
Je te remercie parce que tu m'as fait
de façon incroyable et merveilleuse!

(D'après le psaume 139.)

Mon Dieu et Père,
tu m'as fait,
tu m'aimes,
et en plus tu t'occupes de moi.
Merci, mon Dieu.

Tu sais, Dieu, ma maman dit
que je suis précieux.
C'est vrai qu'il n'y a personne d'autre
comme moi?

(Question d'un enfant.)

Tu sais tout sur moi, Dieu,
les choses bien
mais aussi les choses pas bien.
Et après tout ça tu me trouves
toujours précieux !
Merci, mon Dieu.

Seigneur,
j'aimerais que tu sois très content
de tout ce que je fais,
et aussi de tout ce que je dis.
Amen.

Deux yeux pour regarder vers Dieu,
deux mains pour agir comme il veut,
deux pieds pour marcher dans ses traces,
deux lèvres pour lui rendre grâces,
deux oreilles pour écouter ses discours,
et un cœur pour l'aimer toujours !

(Cela fera une jolie chanson à gestes.)

Seigneur, je peux courir, sauter,
crier, CHANTER,
faire des bonds, me balancer,
taper dans mes mains, ou TAPER DU PIED !
Merci de m'avoir fait !

Avec ma famille

Je les aime,
et ils m'aiment...
Merci pour ma famille !

Tu sais, Dieu, nous avons un nouveau bébé !
Il* est tout petit et il pleure tout le temps.
Quand il sera plus grand
je pourrai jouer avec lui.
Merci, mon Dieu, pour mon nouveau
petit frère*.

*Changer ce qu'il faut pour adapter à une fille.

Excuse-moi, Seigneur. J'aime ma sœur*,
mais quelquefois on se bagarre.

*Changer pour adapter à un frère.

Voilà ma prière : Dieu est très gentil.
Il nous donne des amis et une famille.
Amen.

(Prière d'un enfant.)

Merci de m'avoir donné ma Mamie.
Elle raconte plein d'histoires,
et elle me fait plein de câlins!
Amen.

Avec Papi on va souvent se promener.
Il est très vieux. S'il te plaît,
répare son genou abîmé.

(Philippe, 5 ans.)

Bénis cette maison, c'est chez nous.
Aide-nous à accueillir tous ceux
qui viennent nous voir.

À table

Chaque fois qu'on mange
il faut se rappeler que Dieu nous aime.
Amen.

(Prière d'un enfant.)

Dieu est grand,
et Dieu est gentil.
Je lui dis merci
Pour tout ce qu'il nous donne à manger.

Mon Dieu, nous te disons merci
Pour les verres et les assiettes
que tu remplis.

Merci pour tout ce qu'on mange,
merci pour les oiseaux qui chantent,
merci pour ce monde très doux,
merci, mon Dieu, pour tout!

Cher Dieu, merci pour tout
ce que tu nous donnes.
Aide-nous à ne pas oublier
les besoins des autres.
Amen.

Pendant la journée

Jouer

Dieu très bon, grâce à toi aujourd'hui,
Je m'amuserai bien, je serai gentil,
je rendrai service, je serai honnête,
et je laisserai les autres participer à la fête.
Amen.

Aujourd'hui je vais jouer à la garderie*!
Merci, mon Dieu.

*Changer selon l'activité de l'enfant.

Mon Dieu,
merci d'avoir fait tout ça.
Je pense à toi quand moi aussi
je fais quelque chose.
Amen.

Mon Dieu,
merci pour la peinture
et toutes les jolies couleurs.
Je suis vraiment content(e)
que tu ne te fâches pas
quand je fais plein de saletés !
Amen.

Cher Seigneur,
merci pour le football,
merci pour la mer,
merci pour le monde,
et merci pour moi.

(Adrien, 7 ans.)

Aider

Seigneur, j'aide mon papa et ma maman
parce que je les aime beaucoup.
Aide-moi à le leur montrer.
Amen.

Tu sais, Dieu,
aujourd'hui, je voudrais que tu veilles
sur moi
et que tu m'aides à aider les autres.
Amen.

Mon Dieu, j'aime bien aider
mais je ne le fais pas toujours bien.
Aide-moi à faire les choses comme il faut.
Amen.

Merci pour la personne
qui m'a aidée aujourd'hui.
Amen.

Mes amis

Mon Dieu, merci pour mon ami(e)*.
Aide-moi à être gentil(le) et à partager
mes jouets.

*Demander à l'enfant de dire le nom de son ami(e).

Merci pour mes meilleurs copains.
On joue et on a plein de secrets.
Amen.

(Guillaume, 5 ans.)

Tu sais, Dieu, j'ai été vilain(e)
et j'ai fait de la peine à mon ami(e).
Aide-moi à demander pardon.

*Demander à l'enfant de dire le nom de son ami(e).

Tu sais, Dieu, mon ami(e)* est malade.
S'il te plaît, guéris-le* vite.
Amen.

*Demander à l'enfant de dire le nom de son ami(e), et remplacer
« le » si nécessaire.

Merci, mon Dieu, pour les copains
qui s'occupent de moi quand j'ai du chagrin.
Merci, mon Dieu, pour ceux
qui me consolent et qui me tendent la main.

Jésus, tu es mon meilleur ami.
Merci pour toutes les choses
que tu me donnes.
Amen.

Une journée dehors

Seigneur qui es là-haut,
donne-nous un ciel très beau,
donne-nous une super-journée,
et fais qu'elle soit ensoleillée.

Tu sais, Dieu,
Je me suis bien amusé(e) au parc aujourd'hui.
Merci pour tous mes jeux et mes amis.
Amen.

Merci, Seigneur,
d'avoir fait ces arbres si grands
et ces fleurs si petites.
Amen.

Bonjour, Dieu, j'aime beaucoup notre monde.
Merci de l'avoir fait.

(Stéphane, 4 ans.)

Je te demande pardon.
Aujourd'hui j'ai été vilain(e)
dans les magasins.
Amen.

(Prière d'un enfant.)

Cher Dieu, merci pour les voitures
qui nous emmènent très loin.

(Jérémie, 7 ans.)

Merci d'avoir fait les animaux du zoo
et d'avoir mis des grandes oreilles
sur les éléphants.

(Marine, 4 ans.)

Tu sais, Dieu, aujourd'hui on a vu
plein d'animaux sauvages! S'il te plaît,
empêche les gens de leur faire du mal.
Amen.

Climat

Merci, Seigneur, pour le soleil,
merci, Seigneur, pour le printemps,
merci, Seigneur, de nous avoir envoyé
toutes ces jolies choses.

S'il te plaît, Dieu,
envoie-nous beaucoup de soleil et de pluie ;
comme ça mes graines deviendront
des fleurs très jolies !
Amen.

Il pleut !
La pluie fait pousser les plantes du jardin.
Les canards aiment bien la pluie.
La pluie fait des flaques
et j'adore sauter dedans.
Merci, Seigneur, pour la pluie.

Merci, Seigneur, pour les flaques
qui éclaboussent.
Amen.

(Prière d'un enfant.)

Merci, Seigneur, pour avoir fait
les arcs-en-ciel.
Quand tout est mouillé,
j'aime bien voir ces jolies couleurs.

(Chloé, 5 ans.)

S'il te plaît, Dieu, aide-moi à me rappeler
que tu es plus grand que le tonnerre
qui fait peur.
Amen.

Merci, mon Dieu, pour les jours où la neige
me gèle le nez et tous les doigts de pied !
Amen.

Merci pour les flocons de neige
qui tombent tout doux et tout blancs.
Avec eux, tout devient
très propre et très brillant.

Animaux

Merci pour la petite coccinelle
qui s'est assise sur mon doigt aujourd'hui.
Amen.

(Prière d'un enfant.)

Dieu, tu es notre Père. Écoute les oiseaux
qui chantent
et bénis tous les animaux.
Veille bien aussi sur les autres petites bêtes,
celles qu'on entend pas.

Dis, Dieu, est-ce que je peux te dire un secret?
J'ai un nouveau petit animal!
Amen.

(Prière d'un enfant.)

*Demander à l'enfant de décrire ce nouvel animal.

Dieu, merci pour mes petits animaux*.
Aide-moi à bien m'occuper d'eux
et à leur donner tout l'amour qu'il faut.
Amen.

*Demander à l'enfant de nommer tout animal familier.

J'aime bien les petits chiens et les bébés chats.
Mais pourquoi est-ce qu'ils doivent
devenir grands ?
Amen.

(Luc, 5 ans.)

Dieu mon Père, mon animal* est mort.
Il me manque tellement !
Aide-moi à redevenir joyeux.
Amen.

*Demander à l'enfant de dire le nom de son animal.

Merci d'avoir fait les vaches
qui nous donnent du lait.

(Prière d'un enfant.)

Merci, Dieu, pour les têtards.
Je n'arrive pas à croire qu'ils se transforment
en grenouilles !

(Arnaud, 3 ans.)

Merci, Dieu, d'avoir donné la mer
à la grosse baleine pour qu'elle nage dedans.

(Julien, 5 ans.)

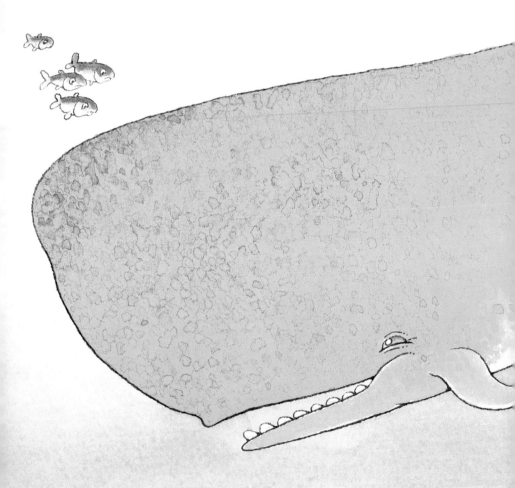

Moments de joie

Aujourd'hui on va à la plage !
Merci, Seigneur,
de me laisser barboter dans la mer
et jouer dans l'eau des rochers.
Amen.

Merci pour l'été :
la baignade et les pique-niques,
les vacances et les glaces.
Je m'amuse bien au soleil.
Merci, Seigneur.

J'avais perdu mon nounours et il est revenu !
Merci, mon Dieu.

(Alice, 3 ans.)

Merci pour mon papa, ma maman,
et tous les super-moments*
qu'on vit ensemble.
Amen.

*Demander à l'enfant de citer des moments qu'il a aimés.

Merci, Seigneur,
pour les belles journées que j'attends
avec impatience,
et pour les belles journées
que j'ai dans ma mémoire.
Amen.

Merci, Seigneur, pour nos vacances,
et pour tous les super-moments
qu'on a passés.
Amen.

Tu sais, Dieu, je me sens bien,
juste quand je pense
que tu es partout.
C'est tout.

(Prière d'un enfant.)

Je t'aime mon Dieu.
Tu es ce que j'aime le plus
dans le monde !
Gloire à toi, Seigneur.

Je me sens triste

Mon Dieu, aujourd'hui j'ai été triste.
Merci d'être resté avec moi.
Amen.

Merci, Seigneur, parce que tu m'aimes
aussi quand je fais la tête.
Amen.

Tu sais, Dieu, je suis malade.
Merci pour les gens qui s'occupent de moi.
S'il te plaît, fais que je guérisse.
Amen.

S'il te plaît, Dieu, aide mon ami(e)*
à être content(e) même quand son papa
ou sa maman ne peut pas être là.
Amen.

*Demander à l'enfant de nommer tout(e) ami(e) qu'il sait être dans
cette situation.

Je me sens tout seul, mon Dieu.
Aide-moi à me sentir
de nouveau joyeux(joyeuse).
Amen.

Ma mamie* est morte,
et je ne la verrai plus jamais.
Maman dit que maintenant elle habite
avec toi.
Occupe-toi bien d'elle !

*Substituer à « mamie » le prénom approprié.

Tu sais, Dieu, quand je suis triste
je sais que tu es avec moi ;
tu es comme le soleil
qui se cache derrière les nuages.
Amen.

Le soir

Tout est calme

Merci de nous donner
des moments de câlins,
des moments pour parler de nos secrets,
être au chaud et être bien.
Amen.

Merci, Seigneur, de m'avoir donné
des oreilles.
Quand je suis tranquille, je peux entendre
plein de bruits* différents.

*Demander à l'enfant d'écouter et de dire ce qu'il entend.

Merci pour la Bible. J'aime bien écouter
des histoires sur mon ami Jésus.
Amen.

S'il te plaît, Dieu, aide-moi à rester tranquille,
comme ça je pourrai t'entendre.
Amen.

Je prends mon bain

Merci, Seigneur, pour l'eau.
J'éclabousse et je m'amuse bien
quand je prends mon bain.

Deux yeux, deux oreilles,
une bouche, un nez,
deux mains, un ventre,
deux genoux et dix doigts de pied.
C'est toi qui as fait tout ça...
Merci, Dieu, de m'avoir fait, moi!

Je vais au lit

Je vais au lit dormir tranquille,
parce que toi, Seigneur, tu veilles sur moi.

(Tiré du psaume 4.)

Bénis mes yeux
et bénis ma tête ;
bénis les rêves
que je fais sous cette couette.

Tu sais, Dieu, j'aime les étoiles qui brillent.
Mais comment fais-tu pour qu'elles restent
là-haut ?

(Question d'un enfant.)

Je vois la lune
et la lune me voit.
Bénis la lune,
et bénis-moi.

S'il te plaît, Dieu,
excuse-moi d'avoir été vilain(e) aujourd'hui,
et aide-moi à être gentil(le) avec papa
et maman demain.

(Prière d'un enfant.)

Maintenant je vais me coucher,
et je te demande, Seigneur, de me garder.
Je veux rester toute la nuit dans ton amour,
et me réveiller avec la lumière du petit jour.

S'il te plaît, Dieu, quand je me réveille
dans la nuit
et que j'ai peur, aide-moi à me rappeler
que tu es tout près de moi.
Amen.

Journées
et prières
particulières

Anniversaires

Seigneur, aujourd'hui c'est mon anniversaire !
Merci pour aujourd'hui
et tous les autres jours.

Aujourd'hui, c'est mon anniversaire.
Maintenant que j'ai un an de plus,
aide-moi à grandir
comme ça te fera plaisir.
Amen.

Tu sais, Jésus, aujourd'hui
c'est mon anniversaire
et j'ai quatre* ans.
Merci pour toutes les choses*
qui rendent cette journée super-chouette.
Amen.

*Demander à l'enfant de dire son âge et ce qui rend
cette journée particulière.

Dimanche

C'est le jour que le Seigneur a fait.
Amusons-nous et soyons joyeux aujourd'hui !

(Tiré du psaume 118.)

Tu sais, Dieu,
j'aime bien aller à l'église :
on chante et après on prie,
on écoute des histoires de la Bible,
et on joue avec nos copains.
Amen.

Merci pour l'église et les chants,
et tous mes amis là-bas.
Amen.

(Prière d'un enfant.)

Dieu, le dimanche c'est ton jour, et moi
je l'aime bien parce que papa et maman
ne me disent pas de me dépêcher.

(Vincent, 5 ans.)

Noël

Dieu le Père, merci de nous avoir donné
Jésus, ton enfant.
Amen.

(Prière d'un enfant.)

Merci, Dieu,
de montrer ton amour
en nous donnant l'Enfant Jésus.
Aide-nous à partager l'amour
de Noël partout.

Jésus, est-ce que tu sais qu'on fait une fête
pour ton anniversaire ?
C'est parce que tu étais un bébé particulier.
Est-ce que tu pourras venir une fois ?

(Daniel, 4 ans.)

Merci, Dieu, pour les surprises de Noël et les cadeaux de toutes les tailles et de toutes les formes. Merci pour les amis, la famille et tous les gens qui rendent cette journée de Noël si amusante. Merci pour les bonnes choses à manger et les jeux à faire pour fêter l'anniversaire de Jésus.

Pâques

Merci, Seigneur, de nous aimer tellement fort
que tu as envoyé Jésus mourir pour nous,
et pour qu'on puisse être tes amis.
Amen.

Quand Jésus est mort, ses amis étaient tristes.
Quand Jésus est ressuscité, ses amis
étaient joyeux.
Moi aussi je suis content(e) ce matin
de Pâques.

Cher Jésus, merci pour la nouvelle vie
que nous amène Pâques.
Amen.

Cher Jésus, tu as eu mal sur la croix.
Mais maintenant tu vas mieux,
et grâce à toi TOUT va mieux.

(Eva, 3 ans.)

Le Notre-Père
(paraphrasé pour les enfants)*

Notre Père, nous voulons que tu sois notre Roi pour toujours, et tout le monde vivra comme tu le souhaites.

Donne-nous chaque jour ce qu'il nous faut.

Pardonne-nous nos mauvaises actions, comme nous pardonnons aux gens qui nous font du mal.

Aide-nous à ne plus faire des vilaines choses, et garde-nous de tout ce qui est mal.

Amen.

*Jésus aimait beaucoup parler à Dieu et prier. Il a appris à ses amis cette prière que l'on appelle le « Notre-Père ».

Index des sujets

☐Remerciements

Nous remercions toutes les personnes qui nous ont autorisés à inclure une partie de leur œuvre dans ce livre, comme indiqué ci-dessous.

Nous avons tout fait pour retrouver et contacter les propriétaires des copyrights. Veuillez par avance nous excuser de toute omission ou erreur que nous aurions commises. Toutes les prières ont été écrites par l'auteur, excepté celles mentionnées ci-dessous, ou signées dans le texte principal.

Pages 12 et 58 : Extrait de *Children in Conversation with God*. Copyright © The Lutheran World Federation. Reproduit avec l'aimable autorisation de The Lutheran World Federation.

Pages 13, 25 et 36 : Extrait de *The Infant Teacher's Prayer Book*, édité par Dorothy M. Prescott.
Copyright © 1964, Blandford Press. Utilisé avec l'autorisation de Cassell plc.

Page 15 : Extrait de *Prayers to Use with Under Fives* par Mary Bacon et Jean Hodgson. Publié par le National Christian Education Council.

Page 19 : Par Colin C. Kerr, copyright © Mme B. Kerr, extrait de *CSSM Choruses, Book 1*.

Page 20 : Extrait de *The Children's Book of Prayers,* compilé par Louise Carpenter. Copyright © 1998, Blackie and Sons Ltd.

Page 22 : Extrait de *Talking to God* par Margareth Barfield. Copyright © 1997,

Margareth Barfield. Publié par Scripture Union.

Page 31 : Copyright © 1959 et 1987, par Concordia Publishing House. Utilisé avec autorisation.

Pages 32, 52, 69, 85, 103 et 105 : Prières traditionnelles.

Page 33 : Extrait de *Hymns and Songs for Children*. National Society.

Page 41 : Extrait de *The Lion Prayer Collection*, compilé par Mary Batchelor. Copyright © 1992, Mary Batchelor. Publié par Lion Publishing plc.

Pages 57 et 76 : Extrait de *Children at Prayer*, édité par Rachel Stowe. Copyright © 1996, Harper Collins Publishers. Publié par Marshall Pickering.

Page 60 : Extrait de *My Own Book of Prayers*, compilé par Mary Batchelor. Copyright © 1984, Lion Publishing.

Pages 86 et 108 : Extrait de *My First Prayer Book*. Copyright © Gwen Tansey et Cathy Jenkins. Utilisé avec l'autorisation des éditeurs, Harper Collins Religious (Melbourne).

Page 99 : Inspiré de *Hello, Baby* par Felicity Henderson. Copyright © 1995, Lion Publishing.

Page 101 : Extrait de *The Day I Fell Down the Tottel* par Steve Turner. Copyright © 1996 Steve Turner. Publié par Lion Publishing plc.